Les déserts de Mour Avy

poésie

Données de catalogage avant publication (Canada)

Lépine, Hélène, 1951-
    Les déserts de Mour Avy
    (Poésie)
    ISBN 2-89031-367-0

    1. Afrique du Nord - Poésie.   I. Titre.

PS8573.E652D47 2000   C841'.54   C00-940086-9
PS9573.E652D47 2000
PQ3919.2.L46D47 2000

La réalisation de cet ouvrage a été rendue possible grâce à des subventions du ministère de la Culture et des Communications du Québec et du Conseil des arts du Canada. Nous reconnaissons également l'aide financière du gouvernement du Canada par l'entremise du Programme d'aide au développement de l'industrie de l'édition (PADIÉ) pour nos activités d'édition.

Mise en pages : Sophie Jaillot
Maquette de la couverture : Raymond Martin
Illustration de la couverture : Marie-Claude Bouthillier, *Petite Babel* (isométrique), 1994

Distribution :

Canada
Diffusion Prologue
1650, boul. Louis-Bertrand
Boisbriand (Québec)
J7E 4H4
Tél. : (450) 434-0306
Téléc. : (450) 434-2627

Europe francophone
Librairie du Québec / D.E.Q.
30, rue Gay Lussac
75005 Paris
France
Tél. : (1) 43 54 49 02
Téléc. : (1) 43 54 39 15

Dépôt légal : B.N.Q. et B.N.C., 1er trimestre 2000
ISBN : 2-89031-367-0
Imprimé au Canada

Hélène Lépine

Les déserts de Mour Avy

poésie

Triptyque

Pour Alexis

Déserts ocre et braise

*Une dame de pierre, effrayante, «en souliers
de Pierre le Grand», marche dans les rues et
dit : «Des saletés sur la place... le Simoun...
les Arabes... Simon a semé ses semelles au
Séminaire».*

Ossip Mandelstam

Cette petite
là   près du panier d'osier

Traverser la lisière de son œil
pénétrer l'étain du regard
glisser vers l'intérieur
en chute libre
vertigineuse
spirale aveugle
imparfaite

Cette petite
là   près du panier d'osier
et cette note aiguë
que souffle le derviche
obstinément

Dans le sein de la petite
à la source du regard
un cobra au venin rationné

Le derviche range son instrument

La bête
lovée
mûrit le poison du lendemain

La lune colle à ses joues
jeune gazelle au visage de lumière

Derrière son dos
une voix la houspille
impatiente

Elle verse l'eau de la cuvette

Sotte   sotte

y fait rouler ses billes
vibrer le fer-blanc

sotte   sotte

secoue, secoue la cuvette

les billes cognent, claquent
couvrent la voix de harpie

Le visage de lune rayonne
le tambourin tambourine
l'autre la hait, la hait

Cesse   suffit

Elle rit   danse
fait des sauts de bille
n'est plus la petite fille
qu'on écarte
qu'on foudroie

Amredi
Erfoud
Azzemour
Ouazzane

Un nom une halte
épopée pour ses doigts nomades
fouiller le souk
le ventre des échoppes
effleurer franges de laine
la hanche de Dounia
humer la menthe poivrée

El Jem
Dougga
Kairouan

Captif
sur le damier des toits plats
l'écolier referme l'atlas
Tout autour
la mer ocre roule son sable

Le soleil décline au ponant

Aujourd'hui encore
la ville fermera ses portes sur le désert de la nuit
le laissant seul
résolu à se donner des airs de rebelle

Mourant avec le jour
ses souvenirs de maigres victoires
les jeux d'enfant qu'il abandonnait au petit frère
le poing prompt à menacer la foule
le sexe aux abois sous l'étoffe

Un passé
déjà

La nuit sans lune le prend en chasse
jeune chacal hors du troupeau
Contre la paroi
hostile
l'apprenti guerrier défie l'angoisse

Dans la tête de Mourad
le regret de n'être pas une fille
Le voile, un masque
la tente touareg où disparaîtrait sa laideur

L'écran des cheveux de jais
l'éventail d'une main
armures vaines
puisque rien n'arrête les coups
rires rocailleux des faux-frères
dinars jetés à la volée
à celui qu'on croit mendiant

surtout
ces dards s'abattant sur lui
mouches à l'étal du boucher
les coups d'œil rapides et dédaigneux
des jeunes filles voilées

L'orange
les dattes
les pistaches
les joues de Leïla

Les lèvres frémissent
humides
la langue se délecte

Dans la bouche
un miel
d'enfance

Assis en tailleur
la paume d'une main lustrant l'écharpe
il rêve d'un temps
ce temps velours
où ses jambes fortes serraient les flancs du coursier
où ses genoux se posaient sans efforts sur le tapis de prières
où son sexe dague n'était qu'ardeur

Assis en tailleur
le corps un peu fléchi
il se redit des poèmes d'amour
derrière le paravent du visage étanche

On le croit très fervent

Dans le secret de sa tunique
sur sa peau olive et lisse
des centaines de traits fins de henné

Sous chaque clavicule
un croissant de lune
À la taille
un ceinturon de figues et d'abricots
De la dune d'un sein à l'autre
un chapelet de vagues

Les genoux
des soleils
Les doigts de pied
des serpents assoupis

Jasmins grimpant sur les mollets
noyaux de pastèque autour des cuisses

Sur le ventre
une main brune
dont les doigts caressent le pubis
lentement
longuement

Et au pourtour des paupières closes
tandis que les yeux chavirent
que la tête tangue sous le voile
une ligne de khôl
aussi sûre que l'horizon

L'aube mal venue
promène une lueur frêle
sur le sol terreux

À genoux
arc-boutée sur le couffin de l'enfant mort-né
les mains dans les replis de sa blouse refusent de se joindre

Une voile déployée sur la baie d'Ouessim
au loin
L'écume isole l'esquif

La robe de Salima se soulève au vent
se déploie sur la crête de la falaise
Sa main la rabat
voilure amenée prestement

Elle ne voguera pas sur la baie
Contre elle
une digue
L'écume troublée de la colère du monde

Partout elle le portait
inséparable besace
lui caressait la nuque d'un doigt
enroulait ses boucles noires
L'enfant sentait la fleur d'amandier
Son rire avait son de grelot
Elle bénissait Allah
lui offrait le meilleur chant

Elle le voit partout
ses boucles noires prisonnières d'un turban blanc
Il ne rit pas
porte une barbe étendard
vocifère
Elle n'entonne plus les versets
Sa prière
le râle d'une brebis qu'on étrangle

Un village aux abords du désert
une place
À l'ombre des auvents de toile
à l'abri d'un soleil furibond
des gens
hommes, femmes, enfants

Des saletés sur la place

Un vent se lève
soudain
s'engouffre dans la ruelle
surgit parmi les traîne-semelles
grondant
hirsute
Vent de lames
miroirs acérés
orgie de soleils
coupe, tranche
nettoie la place

Le Simoun   a-t-on dit
Ce n'est rien

Il tire, pousse
à bout de bras
tempête de sable sous le crâne

Il fuit le village menacé
avec sa smala
les outils
les valises rapiécées
ses femmes
les enfants
la biquette
et leur frayeur à tous
en guise d'orient

Une main levée sur le petit dans sa couche
une main aux griffes de métal

L'enfant pétrifié
avale son cri
L'aïeule dans la prison de ses yeux morts
devine
renverse la couche
s'interpose
lève une main rempart

que d'un coup arrache
l'autre main
la griffue
l'impitoyable

L'oued
sa fraîcheur fugace
sa trace sinueuse
prompte à disparaître
retrouvée avec joie

L'oued
un rêve timide
l'empreinte d'un reste de vie
dans le cerveau dévasté de l'après-razzia
millième désastre

Coup de poignard de l'effroi
cran d'arrêt
L'oued
un mirage ?

Souvenirs d'intolérance dans la caravane
sécheresse des cœurs
plus qu'une larme pour chaque soif
chaque peine

Oasis
silence
terre de mémoires haletantes

Caravane au repos
Les dos creusent le sol
Au-dessus des têtes
la main en visière du palmier-dattier
Si on insiste
des roses se profilent sur la nuée
promesse de l'instant

Oasis
terre nourricière

Silence dans le convoi
un colibri récite
Plaidoyer pour un miracle

Déserts décembres

Rosace rosace les roses
roule mon cœur au flanc de la falaise
la plus dure paroi de la vie s'écroule
et du haut des minarets jaillissent
les cris blancs et aigres des sinistrés

Roland Giguère

Sans pareil dans la ville
avec ses cheveux crépus
sa peau sombre dans la blancheur de décembre

Sans pareils ses souvenirs d'enfance
l'ami Hassan
figues volées au marché
rires glorieux
le narguilé de l'oncle Youssef

Étranger dans la ville blanche

Sur la vitre de la porte tournante
une photographie écornée
visible à peine vue
le visage parfait d'une enfant
perdue

Sa photo
la margelle d'un puits sans fond
où se noie son sourire
de portée disparue
dans une ville tourniquet

À un détour du tunnel
il est là
échoué le long du mur
un chamelier endormi au flanc de l'animal
Il a oublié le levant   le couchant

Sur lui   sous lui
tout son fourbi
ni toile ni auvent
Chamelier sans refuge

Au ras de sa couche
la caravane agacée défile
se presse
ignore son regard
et sa calebasse de mendiant

Le vent flagelle les visages
assiège la ville
Dans les rues
même les superbes plient l'échine

Sauf Jaffe
le bienheureux
il tourne le dos à la fureur du ciel
sourit, écarte les bras
venez à moi, venez à moi

Tous ces gens qui accourent
venez... venez...
le croisent, le dépassent
venez à moi
le laissent seul comme aux jours sans vent

avec ce grésillement dans le cerveau
qui balaie toute rage

Sur le trottoir lézardé
elle pousse un carrosse d'épicerie
esquif pour songes épargnés
rescapés au fil des rues
bouquets d'épluchures
pain patrie
missels d'étiquettes
graines de lavande et safran andalou

Yeux rivés sur le panier
son trésor rassis
elle flaire le détour oublié
Impasse de la brocante
oasis de ses nuits
avant le retour du jour
de la course obligée
le long des trottoirs
sa piste de bédouine de ville

Son cabas sous le bras
elle avance à pas de côté

La meute rôde
rumine le prochain coup

Les bottes de cuir piaffent
Ses pieds frôlent le bitume
ses doigts serrent le cabas

Sam-le-loup la coince derrière la poubelle
Le cliquetis de son cœur se dérègle

Muezzin sans fidèles
au faîte d'un immeuble garde-fou
il scrute le petit écran

Laurence d'Arabie
Voilà
Le désert à demeure
Pause sur les méharistes
le zoom acharné du soleil
les vagues de braise
Pause
le cortège ondulant des chameaux
la poussière laiteuse
plats et pics
Pause
pour le sable qui harcèle les pillards
dans les replis des dunes

Muezzin sans fidèles
il glane au désert du petit écran
un décor en trompe-l'œil
où camper le vide de son âge
dans la tour minaret

Immobile
elle épie

le moindre bruissement
craquement
de son corps tige
miné
voué au retour du mal
grand derviche tourneur
qu'elle attend
vestale avertie
qui l'a quittée
lui soufflant à l'oreille
le venin de ses promesses

Ses mains sur le drap
sans force pour secouer le sable
des jours de sursis à compter
mains tournées vers le ciel sourd
Solitude de pharaon trahi

Ses souvenirs
un linceul blanc cassé
Dans le droit fil du tissu
ne s'entendent plus les pleurs
ni les serments ni les baisers

Sous les néons de l'hôpital labyrinthe
glissent des grands-prêtres
guettant les signes de sa mort
lente à venir
avec son pas de dromadaire

Frisons d'écume à la lisière des lèvres
une promise oubliée
au Café des lendemains
Sous les regards de givre
dans le sillon des rires polaires
son corps bascule doucement

Clapotis aux tempes
le sang fuit le cœur
ses fissures ténues
traces d'innombrables coups de stylet
sur un cœur papyrus
que le prochain froissement pulvérisera

En mémoire l'homme cobra
l'étouffement
les lèvres rouge Lisbonne sur son cou
l'amen forcé dans sa gorge d'enfant

Puis
près d'eux
le cri de bronze

Cesse assez

Dans le creuset de la poitrine chaude
le souffle sur sa tête indemne
couche le blé de ses peurs

Il tarde à rentrer
Le soleil de l'aube au bout de la ruelle
une orange dans la brume épaisse
Elle écrase le rideau
colle le front au carreau humide
déteste le goût de terre dans sa bouche

Il tarde trop
l'enfant homme
son petit aux allures de chacal
traînant sur la chaussée
un désespoir de mutin sans cause

Une forêt de piliers sous le viaduc
devant lui
la route fleuve
Chant obstiné dans le silence des confins
l'écho d'une voiture rugissante

Un carton dans sa main lasse
dessus
le nom de sa Mecque
son rêve battant de l'aile
ignoré de ces mécréants
passant outre
pressés d'effacer un souvenir
sa silhouette de pèlerin
une hyène à jeun sur le bord de la piste

Quatre cavaliers casqués de heaumes vinylisés
Quatre coursiers noir sur chrome

et elle

au milieu du cercle
sur son vélo
baudet sanglé

Les coursiers freinent
resserrent le cercle étau
escortent le baudet vers l'ancienne carrière

La cavalière aux abois hurle
les coursiers hennissent

À toi mon frère

Dans la tranchée
au pied de la dune
elle compte les étoiles pour oublier

deux   trois   quatre   non

quatre frères
et tant d'étoiles inutiles

Ses doigts aux ongles vernis de noir
égrènent un chapelet
d'anneaux minuscules
Du pourtour de l'oreille
à l'orée de la narine
au cœur du nombril

Pour la suite de la prière
sa main fervente
sertie de bagues
pénètre la blouse satinée
rejoint la pointe du sein
caresse un infime bijou d'argent

Une gazelle
vêtue d'une peau de lycra
achève de se parer

Cils éventails
lèvres prune
elle ajuste le panache de sa chevelure
lisse le corps gracile

La gazelle peut quitter son repaire
oser affronter le conquérant
l'ingrat
se pavaner
rouler des hanches
darder sur lui son regard ombré
le faire saliver
et pâtir dans la savanc
avant de le dédaigner tout à fait

Un doute subit dans l'éclat du miroir
un frisson sur la peau de lycra

Saura-t-elle être cruelle ?

Ses cheveux dressés pour bannière
elle mène une guerre secrète à tous les muftis de la terre
pour ses ramadans forcés de hors-caste

Elle sème le désordre dans les rangs de leurs adeptes
défie leur loi

guerre de haute lutte
sans promesse de butin

Elle ne le sait pas
le devine pourtant
à chaque combat livré dans les bras des infidèles

Excités par son impudeur
rendus féroces par le mensonge
ils ravagent la plaine de son ventre blanc

Agrippée à leurs crinières de fauves
elle rêve qu'elle déchiquète leurs sexes à petits coups de dents

Syracuse
Parma
Lebanon
Tulsa

La gorge toujours étreinte
la douleur pendue à son cou
comme un enfant de famine
il garde les yeux clos
dans l'autobus lévrier

ne voit pas
Wichita
Clovis
Socorro
Phoenix

stations fantômes
pour homme en fuite
sans rêves de halte
tant l'étouffe la perte d'amour

Nuit de désert
rien ne bouge
rien ne repose

Un enfant homme coincé dans un sarcophage
les épaules contre le bois râpeux
Il se meut à peine
Est-il vivant ?

Rien que ses yeux droit sur nous fixés
sans colère
sans prière

Fermer les yeux sur ce regard
Il vous dévore le visage
S'en détourner
renverser le sarcophage

Il est si lourd
cet enfant homme
lourd de tous les refus

Dernier abri
pour l'impossible réparation

un demi sous-sol

Dernier repas
pour un sommeil sans fin

des dragées couleur pistache
à saveur d'amande et de miel

a)

Pourvu que
Ojalá

Oh Allah
Pourvu qu'ils crèvent
les pontifes
sous le coup de minuit
des raisins plein la bouche
étouffés par les pépins bloqués dans la trachée

Ojalá
Pourvu que
Oh Allah fais-les taire tous
ceux qui haranguent et condamnent
Sus à leurs mots   leurs vérités

Sur le sol criblé de bornes
corps en déroute
bouches tordues de l'inutile oraison
Que de pertes pour un monde épuré
terre charpie
Reposes-tu
Dieu

Pourvu que
Ojalá
Pourvu que je pleure
une larme   une seule
Que se ravive mon cœur

N'interromps pas ma prière
je cracherai les mots des sinistrés
des fracassés
puisque je ne pleure pas
et je les pillerai
eux de Mour Avy
ils ploient sous l'or lourd des souvenirs

Les miens sont de plomb désormais

Dans la même collection
aux éditions Triptyque

Albert, Michel. *Poèmes et autres baseballs*, 1999, 108 p.

Albert, Michel. *Souliers neufs sur les terres brûlées*, 2000, 73 p.

Berrouët-Oriol, Robert. *Lettres urbaines*, 1986, 88 p.

Boissé, Hélène. *Et autres infidélités*, 1990, 70 p.

Boissé, Hélène. *De l'étreinte*, 1995, 83 p.

Boissé, Hélène. *Silence à bout portant*, 1999, 86 p.

Bouchard, Reynald. *La poétite*, 1981, 78 p.

Bouchard, Reynald. *Chants d'amour au présent*, 1995, 52 p.

Caccia, Fulvio. *Irpinia*, 1983, 57 p.

Caccia, Fulvio. *Scirocco*, 1985, 64 p.

Caccia, Fulvio. *Lilas*, 1998, 83 p.

Campeau, Sylvain. *La Terre tourne encore*, 1993, 97 p.

Campeau, Sylvain. *Exhumation*, 1998, 104 p.

Cardinal, Diane. *L'amoureuse*, 1989, 80 p.

Chapdelaine Gagnon, Jean. *Dans l'attente d'une aube*, 1987, 71 p.

Chenard, Sylvie. *Chansons et chroniques de la baleine*, 1994, 103 p.

Clément, Michel. *Nekuia* ou *Le chant des morts*, 1987, 68 p.

Coppens, Patrick. *Enfants d'Hermès*, 1985, 64 p.

Coppens, Patrick. *Tombeaux et ricochets*, 1997, 70 p.

Desnoyers, François. *Derrière le silence*, 1985, 108 p.

Des Rosiers, Joël. *Métropolis opéra*, 1987, 95 p.

Des Rosiers, Joël. *Tribu*, 1990, 110 p.

Des Rosiers, Joël. *Savanes*, 1993, 102 p.

Des Rosiers, Joël. *Vétiver*, 1999, 136 p.

DesRuisseaux, Pierre. *Soliloques*, 1981, 88 p.

DesRuisseaux, Pierre. *Noms composés*, 1995, 104 p.

DesRuisseaux, Pierre (trad. de). *Contre-taille*, 1996, 327 p.

DesRuisseaux, Pierre (trad. de). *Hymnes à la Grande Terre*, 1997, 265 p.

DesRuisseaux, Pierre (trad. de). *Co-incidences*, 2000, 278 p.

Dudek, Louis. *L'essentiel*, 1997, 239 p.

Dupuis, Jean-Philippe, *Attachement*, 1999, 76 p.

Forest, Jean. *Des fleurs pour Harlequin!*, 1985, 129 p.

Fréchette, Jean-Marc. *Le corps de l'infini*, 1986, 135 p.

Fréchette, Jean-Marc. *La sagesse est assise à l'orée*, 1988, 52 p.

Giroux, Robert. *L'œuf sans jaune*, 1982, 74 p.

Giroux, Robert. *Du fond redouté*, 1986, 72 p.

Giroux, Robert. *j'allume*, 1995, 55 p.

Giroux, Robert. *En mouvement*, 1998, 54 p.

Giroux, Robert. *Le miroir des mots*, 1999, s.p.

Gosselin, Yves. *Brescia*, 1987, 84 p.

Gosselin, Yves. *Connaissance de la mort*, 1988, 84 p.

Gousse, Edgard. *La sagesse de l'aube*, 1997, 69 p.

Guénette, Daniel. *Empiècements*, 1985, 96 p.

Guénette, Daniel. *Adieu*, 1996, 69 p.

Jalbert, Marthe. *Au beau fixe*, 1986, 50 p.

Jalbert, Marthe. *Le centre dissolu*, 1988, 50 p.

Ji, R. *Par la main du soleil*, 1981, 59 p.

Lafond, Guy. *Carnet de cendres*, 1992, 73 p.

Langevin, Gilbert. *Confidences aux gens de l'archipel*, 1993, 88 p.

Larocque, Marie-Christine. *La main chaude*, 1983, 67 p.

Larocque, Marie-Christine. *Encore candi d'aimer*, 1991, s.p.

Legendre De Koninck, Hélène. *Les racines de pierre*, 1992, 69 p.

Le Gris, Françoise. *Bali imaginaires*, 1993, 65 p.

Le Gris, Françoise. *Le cœur égyptien*, 1996, 133 p.

Lépine, Hélène. *Les déserts de Mour Avy*, 2000, s.p.

Marquis, André. *À l'ère des dinosaures*, 1996, 76 p.

Marquis, André. *Cahiers d'actualité*, 1997, 107 p.

Martin, Alexis. *Des humains qui bruissent*, 1999, 51 p.

Martin, Raymond. *Indigences*, 1983, s.p.

Martin, Raymond. *Qu'en carapaces de mes propres ailes*, 1987, 74 p.

Nelligan, Émile. *Poésies en version originale*, 1995, 303 p.

Pelletier, Louise de gonzague. *Petites mélancolies*, 1989, 60 p.

Perreault, Guy. *Personne n'existe* suivi de *La mort des mouches*, 1999, 81 p.

Phelps, Anthony. *Orchidée nègre*, 1987, 107 p.

Poulin, Aline. *La viole d'Ingres*, 1991, 51 p.

Pourbaix, Joël. *Dans les plis de l'écriture*, 1987, 119 p.

Pourbaix, Joël. *Passage mexicain*, 1989, 78 p.

Renaud, Jacques. *Le cycle du scorpion*, 1979, 39 p.

Renaud, Jacques. *La nuit des temps*, 1984, 122 p.

Ricard, André. *Les baigneurs de Tadoussac*, 1993, 54 p.

Roy, Bruno. *L'envers de l'éveil*, 1988, 88 p.

Saint-Germain, Monique. *Archipel*, 1991, 103 p.

Savard, Marie. *Poèmes et chansons*, 1992, 96 p.

Soudeyns, Maurice. *Poèmes au noir*, 1989, 70 p.

Soudeyns, Maurice. *Vrac et nuques*, 1999, 72 p.

Trépanier, Laurent. *La parole au noir*, 1998, 56 p.

Vaillancourt, Marc. *Équation personnelle*, 1992, 94 p.

Vaillancourt, Marc. *Lignes de force*, 1994, 124 p.

Vaillancourt, Marc. *Les corps simples*, 1996, 102 p.

Vaillancourt, Marc. *Almageste*, 1998, 92 p.

Warren, Louise. *L'amant gris*, 1984, 88 p.

Warren, Louise. *Madeleine de janvier à septembre*, 1985, 52 p.

Warren, Louise. *Écrire la lumière*, 1986, 50 p.

Watteyne, Nathalie. *D'ici et d'ailleurs*, 2000, s.p.

Ysraël, Élie-Pierre. *Arcane seize*, 1980, 18 p.

Achevé d'imprimer en février 2000 chez

IMPRESSION À DEMANDE INC.

à Longueuil, Québec